Mes histoires d'anniversaire

6 histoires pour mes ans

FLEURUS

Direction artistique - Conception de la couverture : Élisabeth Hebert
Conception graphique de l'intérieur : Élisabeth Hebert et Nelly Charraud
Mise en page : Le Semeur d'images - Gilles Malgonne
Édition : A Cappella Création
Photogravure : Penez Édition
Impression : Pollina (France) - L44374
Achevé d'imprimer en septembre 2007
N° d'édition : 07151
Dépôt légal : mars 2004
ISBN : 978-2-2150-4475-8

Sommaire

Le merveilleux voyage de l'épouvantail

«T'en fais une drôle de tête ! Qu'est-ce que tu as ?
Ça ne va pas ? » demande la mésange qui s'est posée
sur le bras de l'épouvantail.

« J'ai 6 ans aujourd'hui, petite mésange. Eh oui ! Tu vois,
je suis un vieil épouvantail. Cela fait six ans que je suis planté
là, au milieu de ce champ, sans pouvoir bouger, sans avoir
jamais voyagé. Je ne saurais même pas te dire ce qu'il y a
au-delà de ce bosquet, les arbres me cachent la vue.
Et je ne sais pas non plus ce qu'il y a derrière moi,
puisque je ne peux pas bouger la tête. »

« **O**h! là, là! mais tu es bien triste pour un jour d'anniversaire ! »
« Oh, tu sais, je me suis fait une raison : le fermier qui m'a
planté là m'a oublié depuis longtemps. Regarde mes vêtements,
j'ai les mêmes depuis six ans : ce vieux chapeau de paille
troué par les coups de bec des oiseaux, ce chandail décoloré
par le soleil, cette écharpe entortillée par le vent,
ce pantalon délavé par la pluie et ces chaussures
couvertes de boue.
J'ai vraiment l'air d'un clochard. »

«Mais tu es un très bel épouvantail, je t'assure. »
« Oh, tu es gentille, mais je vois bien qu'avec un costume
si abîmé je ne sers plus à rien. Je n'effraie même plus
les oiseaux, qui viennent chanter autour de moi et
font parfois leur nid sur mes épaules. Je n'impressionne
plus les taupes qui font des tranchées sous mon nez.
Quant aux lapins, ils font la ronde autour de moi,
alors tu vois ! Dans un an, je suis bon à jeter à la poubelle ! »
« Bon, je suis désolée, épouvantail, mais je dois y aller,
j'ai mes petits à nourrir.

Bon anniversaire quand même ! »

« C'est ça, c'est ça, à la prochaine, petite mésange »,
dit l'épouvantail.

E

Et la petite mésange s'envole,

avec des idées plein la tête.

Tout d'abord, elle piaille : « Message urgent : rendez-vous
à midi à la clairière du Bois-Joli. Transmettez à tous
les animaux que vous connaissez. » Et aussitôt après,
elle entend dans les champs et les bois son message
qui se répercute : les oiseaux chantent dans toutes
les langues, les lapins tapent des pattes, les cerfs
brament le message de la mésange.

Et à midi, tous les animaux sont à la clairière.

« Alors, que se passe-t-il ? » demande le putois.

« Mes amis, dit la mésange perchée sur une branche de chêne,

l'épouvantail a 6 ans aujourd'hui.

Je suis allée le voir et il a le moral dans les chaussettes.

Il faut absolument faire quelque chose pour lui, il a toujours été si gentil : nous, les oiseaux, il ne nous a jamais empêchés de picorer ses graines et de prendre ses fétus de paille pour faire nos nids. Vous, les lapins, vous pouvez vous régaler avec ses épis de blé, et son champ sert souvent de terrain de jeux pour les sangliers. C'est un véritable ami : il est toujours là pour nous.

Il connaît tous nos petits malheurs et nous donne toujours de bons conseils. »

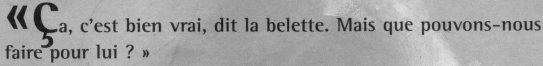

« Ça, c'est bien vrai, dit la belette. Mais que pouvons-nous faire pour lui ? »

« Il se plaint d'être mal habillé, de ne servir à rien et de rester planté dans son champ sans rien pouvoir

connaître du monde qui l'entoure. »

« Pour les habits, pas de problème. Moi, je peux lui tricoter un chandail et une belle écharpe, je sais faire », dit la belette.

« Le pantalon, nous nous en occupons, disent les lapins.
La fermière étend son linge tous les jours à la même heure.
Si un pantalon disparaît, elle ne s'en apercevra même pas. »
« Le chapeau, c'est notre affaire », disent les moineaux.

« Et si l'épouvantail veut voyager,

moi j'ai une idée »,

ajoute le hibou.
« Au travail maintenant et à ce soir, huit heures,
dans le champ, pour fêter l'anniversaire de l'épouvantail.
Mais attention, soyez discrets, ce doit être une vraie surprise !
conclut la mésange. Moi, je m'occupe du gâteau. »

Tout l'après-midi, **les animaux s'activent :**
la belette tricote, les lapins attendent la fermière, cachés
dans les buissons, et dès qu'elle a le dos tourné,
ils grimpent les uns sur les autres pour décrocher un pantalon
du fil à linge, les moineaux profitent d'un mariage
pour attraper le chapeau de paille garni de marguerites
de la sœur de la mariée et la mésange prépare

un énorme gâteau aux fraises des bois.

Le soir venu, tous les animaux arrivent en procession
dans le champ de l'épouvantail.

« **J**oyeux anniversaire,
joyeux anniversaire, épouvantail ! »

L'épouvantail ne sait pas quoi dire, il est tout ému.

« Ouvre tes cadeaux ! » lui conseille la mésange.

« **Oh,** un chandail et une écharpe assortie... **oh,** un pantalon neuf et un chapeau fleuri, s'exclame l'épouvantail en défaisant un à un ses paquets. Et ça, qu'est-ce que c'est ? »

« Un collier, répond la pie, je l'ai trouvé sur la route, quelqu'un l'a sûrement perdu ! »

Personne ne croit la pie voleuse, mais le collier donne fière allure à l'épouvantail.

« **Merci à tous, les amis, je suis très touché.** »

« Il reste un cadeau un peu spécial, ajoute le hibou.
Voilà, je te présente mes deux amis, **les aigles Va et Vient.**
Ils vont t'emmener faire **un petit voyage dans les airs.** »
Et hop, les aigles prennent chacun l'épouvantail par un bras
et s'élancent au-dessus des fermes, des collines et des forêts.
L'épouvantail n'en croit pas ses yeux : « Hé, regardez là-bas,
il y a un ruisseau, et plus loin, c'est la ville, on voit le clocher.
Oh, comme il est tout petit, mon champ, vu d'ici ! »
Quand les aigles le reposent à terre, l'épouvantail est tout étourdi.
Ses amis l'entourent et l'applaudissent.
« Alors, ce petit voyage dans les nuages ? »
« Extraordinaire, merveilleux, répond
l'épouvantail, un peu essoufflé.
Merci, les amis, c'est le plus
bel anniversaire
de toute ma vie !

Vivement l'année prochaine, que j'aie 7 ans,
pour découvrir le monde entier ! »

Lance le dé !

Il y a des soirs où le marchand de sable tarde à passer.
Demain, Giacomo aura 6 ans, il est tout excité...
Juste avant de s'endormir, quand il glisse sa main sous
l'oreiller... il sent un drôle de petit paquet.
Giacomo allume la lumière. Sous son oreiller, il trouve
un joli sachet en velours rouge qu'il s'empresse d'ouvrir.
Un dé en ivoire roule sur l'édredon, tandis qu'une pluie
multicolore tombe sur l'oreiller.

« Atchoum ! fait une petite voix. Chaque fois, cette maudite pluie me fait éternuer. Et voilà, mes ailes sont toutes froissées. »
Sous les yeux ébahis de Giacomo, une petite fille à peine plus grande qu'un papillon virevolte au-dessus du lit.
« Bonjour, Giacomo, dit-elle. Je suis la fée Bouclette, la fée du dé magique. À chacune des six faces correspond une destination inconnue, pour un voyage fabuleux à travers le monde.
Tu as compris ? » Giacomo hoche la tête.
« Alors, lance le dé maintenant !...
Un. Direction l'Asie ! » s'exclame Bouclette.

D'

un seul coup, la chambre se met à tourner, à tourner.
Et Giacomo se retrouve assis sur une immense muraille de pierres.
La petite fée vient se percher sur son épaule.
«Nous sommes sur la grande muraille de Chine», dit Bouclette.
«Et cette ville, là-bas ? » demande Giacomo.
«C'est Pékin, dit la fée. Viens, donne-moi la main, on va la survoler. »
Et c'est parti. Giacomo vole au-dessus de la ville aux odeurs
de jasmin. Des dragons rouges en papier dansent dans les rues,
des lampions en papier mâché décorent les maisons.
«C'est merveilleux, dit Giacomo. Où va-t-on, maintenant ?
Ah ! oui, c'est la surprise. »

Giacomo secoue le dé dans sa main, le lance et...

« Trois. Direction l'Amérique ! » crie Bouclette. Les deux amis
sont emportés par un tourbillon. Devant eux, des immeubles
gigantesques, des routes à quatre voies, et des voitures petites
comme des fourmis qui circulent dans tous les sens.
« Bienvenue à New York ! dit Bouclette. Nous marchons
sur le flambeau de la statue de la Liberté.
Et ces grands immeubles, ce sont des gratte-ciel.
Et sais-tu ce qui arrive quand on chatouille le ciel ? »
Giacomo regarde le ciel, qui fond en gros flocons tout blancs.
« Il neige ! dit Bouclette. Brrr. Il fait froid ! On y va ? »

Vite, Giacomo lance le dé...

« **C**inq. En route pour l'Océanie ! » dit Bouclette. Et Giacomo se retrouve perché en haut d'un arbre, au-dessus d'une grande clairière. C'est la nuit. Des hommes aux visages sombres couverts de peinture rouge sont réunis autour d'un feu de bois.

L'un d'entre eux souffle dans un grand tube en bois qui produit une étrange mélodie.

« Nous sommes en Australie, chuchote Bouclette.

Ce sont des Aborigènes, les premiers habitants de l'île. »

« C'est quoi, cette grosse flûte ? » demande Giacomo.

« Un didjeridoo, l'instrument traditionnel des Aborigènes. »

Giacomo commence à avoir chaud, au-dessus du feu immense.

« On est en été, dit la fée. Dans l'hémisphère Sud, les saisons sont inversées ! Allez, le temps presse.

Lance donc le dé !

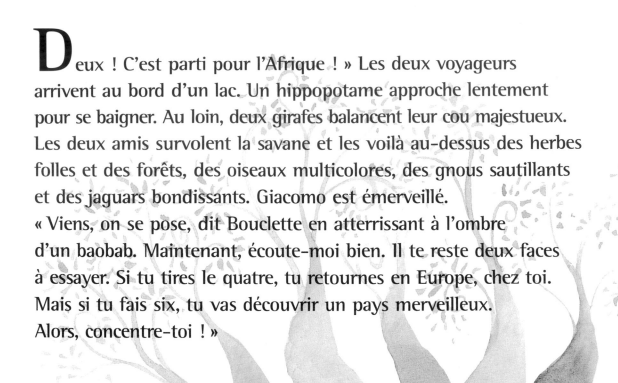

D eux ! C'est parti pour l'Afrique ! » Les deux voyageurs
arrivent au bord d'un lac. Un hippopotame approche lentement
pour se baigner. Au loin, deux girafes balancent leur cou majestueux.
Les deux amis survolent la savane et les voilà au-dessus des herbes
folles et des forêts, des oiseaux multicolores, des gnous sautillants
et des jaguars bondissants. Giacomo est émerveillé.
« Viens, on se pose, dit Bouclette en atterrissant à l'ombre
d'un baobab. Maintenant, écoute-moi bien. Il te reste deux faces
à essayer. Si tu tires le quatre, tu retournes en Europe, chez toi.
Mais si tu fais six, tu vas découvrir un pays merveilleux.
Alors, concentre-toi ! »

Giacomo ferme les yeux et...

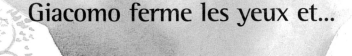

20

« **S**ix ! En avant pour le paradis des enfants ! » Giacomo arrive dans un pays étonnant... Là, des centaines d'enfants jouent dans un paysage merveilleux. Des arbres couverts de bonbons, des cascades de lait-grenadine, des bouquets de sucres d'orge... Giacomo n'en croit pas ses yeux. Devant lui, un petit garçon claque des doigts pour faire apparaître un camion en guimauve.

« C'est fabuleux, dit Giacomo.

C'est le paradis des enfants : bonbons et jouets à volonté !

En plus, je ne vois pas de grandes personnes !
Pas de parents, pas de maîtresse ! Il n'y a pas d'école, alors ?»

« **N**on, répond la fée. Ici, c'est comme les grandes vacances.
On peut avoir tous les jouets dont on rêve, regarder des dessins animés
toute la journée et c'est toujours l'heure du goûter ! »

« Ohh, fait Giacomo, j'aimerais passer ma vie ici ! »

« Si tu veux, tu le peux, dit Bouclette. Seulement, il y a une condition.
Il faut boire la potion qui empêche de grandir.

Ici, c'est le pays où l'on ne grandit pas, pour pouvoir s'amuser toute la vie. »

Giacomo recule, tout embêté.

23

«Mais moi, je veux avoir 6 ans !

Je n'ai pas envie de rester petit toute ma vie ! Et puis, Papa et Maman vont me manquer. Finalement, ce pays, ce n'est pas vraiment le paradis. Moi, je veux rentrer. Donne-moi le dé ! »

« Très bien, dit Bouclette. **Lance le dé... Quatre !** »
Ouf, Giacomo se retrouve dans son lit... Déjà le jour se lève.
« Bonjour, mon chéri, dit Maman en ouvrant les rideaux.
J'ai l'impression que tu as rêvé de ton anniversaire. »
« Oh! oui », dit Giacomo en s'étirant.

C'est tellement bien d'avoir 6 ans !

À l'eau, dragonnet chéri !

Joyeux anniversaire !

T anguy le dragon vient de fêter son sixième anniversaire. Pour marquer cet événement important, sa grand-tante préférée, la vieille dragonne Gertrude, l'a invité à passer quelques jours chez elle, dans son château du bord de mer. Là, tout est permis : Tanguy peut courir sur le chemin de ronde ou glisser sur la rampe du grand escalier, se coucher tard le soir, sucer des bonbons à la bave de grenouille avant de dîner et manger des dizaines de chevaliers grillés avec les doigts.

Tante Gertrude est si compréhensive ! Mais aujourd'hui il fait beau, il fait chaud. Tanguy n'a qu'une seule idée en tête en regardant la mer à perte de vue depuis la tour de guet :

il veut apprendre à nager !

Dragonne Gertrude est ravie.
Elle aussi a très envie de prendre
un bain rafraîchissant. Le donjon fera
un superbe plongeoir.
Et hop !

Dragonne Gertrude s'élance :
elle effectue un magnifique saut,
toutes ailes déployées, pattes tendues,
avant de s'enfoncer dans l'eau.
Tanguy est admiratif : « Tante Gertrude
a beau avoir quelques centaines
d'années, elle sait tout faire !
Mais où est-elle donc passée ?
Elle ne réapparaît pas à la surface ! »
En regardant plus attentivement, Tanguy
repère sa forme noire et allongée sous l'eau.
Elle semble aussi à l'aise qu'une baleine !
Quelques instants plus tard, tante Gertrude sort
sa tête fumante hors de l'eau, heureuse de
lui avoir fait un peu peur.
Souriant de toutes ses grandes dents, elle lui crie :
« À ton tour, dragonnet chéri ! Viens me rejoindre ! »

« J'aime pas qu'elle m'appelle comme ça »,
se dit-il. Mais bien décidé, Tanguy s'élance,
les yeux fermés, raide comme un piquet,
les naseaux bouchés...

Plouf !

Comme une grosse pierre,
le jeune dragon touche le fond
puis, prenant appui sur ses pattes
arrière, Tanguy se propulse
de toutes ses forces vers la surface.

« Hourra ! crie-t-il, en respirant
un grand coup. Tante Gertrude...
Bloup, bloup... »
Tanguy a oublié qu'il ne savait pas
nager et... il boit la tasse
à gros bouillons !

Dragonne Gertrude a tout vu.
Elle l'attrape sous les aisselles, le fait remonter à l'air libre
et le guide vers un banc de sable où il peut s'étendre
et reprendre son souffle.
Tanguy est vexé. Il tousse. Il crache de toutes petites flammes.
Ses yeux le brûlent. Un comble pour un dragon !
En réalité, Tanguy a bien cru mourir... Mais dragonne Gertrude
a les mots et les gestes qui rassurent :
« Tanguy, ton saut était très courageux.
Moi aussi, j'ai appris à nager à 6 ans,
mais je n'aurais jamais osé plonger d'une
aussi grande hauteur ! Viens avec moi.

Je vais te montrer quelque chose. »

Dragonne Gertrude prend son envol et semble retourner vers son château.

« Mais où va-t-elle ? » se demande Tanguy qui s'envole à son tour. Non, il ne s'est pas trompé. Elle atterrit bien au bord des douves et l'attend impatiemment, fouettant l'air chaud de sa queue.

« Ah, te voilà ! **Leçon n° 1: la brasse !** Imagine une grenouille dans les douves... comme celle-ci, dit-elle en attrapant le batracien apeuré au bout de sa griffe. Elle avance dans l'eau en remuant ses pattes d'avant en arrière. Comme ceci. »

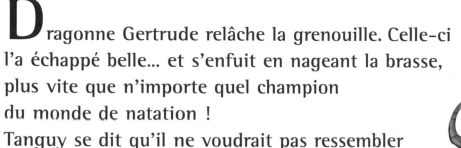

Dragonne Gertrude relâche la grenouille. Celle-ci l'a échappé belle... et s'enfuit en nageant la brasse, plus vite que n'importe quel champion du monde de natation !

Tanguy se dit qu'il ne voudrait pas ressembler à une grenouille, mais il a tellement envie de savoir nager qu'il écoute sagement la leçon, et maintenant, il répète à son tour chacun des mouvements, tout en se dirigeant vers la plage avec dragonne Gertrude.

« Je **plie** mes pattes avant, je les **tends** pointées devant et je les **écarte** chacune sur le côté.

Je **plie** mes pattes avant, etc., etc. », grommelle-t-il.

Dragonne Gertrude entre dans l'eau la première :

« Leçon n° 2 : exercice pratique !

Tu apprendras d'abord où tu as pied ! »
Le jeune dragon a de l'eau jusqu'au cou
et, sous l'œil bienveillant de son professeur,
il esquisse quelques brasses.
Après plusieurs tentatives, Tanguy prend
de l'assurance, ses gestes se font plus amples,
plus précis et plus forts aussi.
Ça y est. Ça vient !

Tanguy sait nager tout seul !

Dans son enthousiasme, le dragon saute de joie et sa grand-tante applaudit. Tous deux déclenchent alors de gigantesques vagues. S'ensuit une énorme pagaille : les poissons, terrifiés par les deux monstres et se croyant pris au piège, se jettent hors de l'eau pleins d'effroi. Les crabes remontent à toute vitesse sur la plage et les moules s'accrochent de toute leur force aux rochers. Un rouleau un peu plus gros que les autres passe au-dessus de la tête de Tanguy, **mais il n'a plus peur !** C'est drôle et tellement... décoiffant ! Il suffit de ne pas ouvrir la gueule et de bloquer sa respiration ! Dans son audace, il a même osé ouvrir les yeux sous l'eau ! Et ce qu'il voit est tellement beau qu'il aimerait presque devenir un poisson multicolore, comme ceux qui tentent désespérément de se cacher dans les algues.

Tanguy se met alors à nager la brasse sous l'eau, il se dirige vers sa grand-tante Gertrude, puis il la tire vers le fond de toutes ses forces pour lui faire boire la tasse !

« Ah, ah, ah ! Je t'ai surprise, tante Gertrude ! »
lui glisse-t-il à l'oreille lorsqu'elle refait surface !
Pour éviter qu'elle ne se venge, Tanguy, tout dégoulinant,
prend alors son envol vers le château.
Il monte à tire-d'aile vers le donjon. La vue est grandiose, l'air
est chaud et sec. En bas, il y a la mer, profonde.
Et sous l'œil admiratif de sa grand-tante, Tanguy plonge !
C'est un saut parfait, très stylé.

« Ce jeune dragon, se dit dragonne Gertrude,
c'est sa grand-tante tout craché ! »

Joyeux anniversaire !

Des cadeaux dans le ciel

Aujourd'hui, c'est dimanche. Lin Choo ne va pas à l'école.
Sur le porte-bagages de Grand-père Tsing,
il fait de grands signes à ses parents qui repiquent
le riz, là-bas, dans les champs.
Grand-père Tsing est trop vieux pour travailler
le dimanche. Il a des rides comme des rayons de soleil
autour des yeux. Aujourd'hui, il emmène Lin Choo
en promenade !

Lin Choo rêve : « Quand je serai vieux comme Grand-père Tsing... » Mais soudain, sur la digue de terre qui domine le grand fleuve, le vent emporte son chapeau. Lin Choo saute du porte-bagages et court mais, sur son vélo, Grand-père Tsing va plus vite que lui et rattrape le chapeau, avant qu'il tombe dans l'eau ! Grand-père Tsing sourit dans sa barbe : « Il est peut-être un peu vieux ton Grand-père Tsing,

mais il est agile comme un jeune singe ! »

Dans la ville, le vélo de Grand-père Tsing se perd dans un dédale de petites ruelles et s'arrête juste devant une magnifique boutique de cerfs-volants. Dans la vitrine, il y en a des centaines

qui attendent de s'envoler !

À côté d'un dragon
chinois, Lin Choo voit
un oiseau magnifique
avec des ailes multicolores.
Grand-père Tsing aussi
a repéré l'oiseau
et il se dit tout bas :

« Si seulement j'étais riche...

Je pourrais l'offrir à mon Lin Choo pour son anniversaire ! »
En voyant les yeux émerveillés de son Grand-père,
Lin Choo a la même idée. Il se dit tout bas :
« Je n'ai pas un sou, mais je vais trouver une solution
pour offrir cet oiseau magique à Grand-père Tsing
pour son anniversaire ! »

Le soir, Grand-père Tsing dessine le cerf-volant sur le mur
de sa cabane et il imagine la façon d'en construire un lui-même.
Les jours passent, Grand-père Tsing a rassemblé du papier,
de la peinture et du bois. Chaque soir, il travaille sans relâche,
le cœur joyeux. L'oiseau multicolore est presque prêt à prendre
son envol.

Dans la cabane de Grand-père Tsing, il flotte un vent
de fête ! Grand-père Tsing est si heureux à l'idée de gâter
son petit-fils qu'il danse tout seul, avant de s'endormir,
comme au temps où il était encore jeune homme.

Lin Choo, lui, a décidé d'acheter le cerf-volant
de la boutique pour son Grand-père Tsing. Après l'école,
il va à la pêche et vend son poisson. Au bout de quelques
jours, il a assez d'argent pour acheter le cerf-volant.

Le cœur battant,

il entre dans la boutique et pose fièrement ses pièces
sur le comptoir. Lin Choo imagine combien Grand-père Tsing
sera fier de lui ! Et en rentrant chez lui avec **son trésor**
sous le bras, il a l'impression qu'il n'a jamais été aussi heureux
de toute sa vie !

Le grand jour arrive enfin. Le soir, toute la famille est réunie pour fêter les **6 ans** de Lin Choo et les **60 ans** de Grand-père Tsing. Sur le magnifique gâteau au gingembre que la maman de Lin Choo a préparé, il y a six bougies. Main dans la main, le grand-père et le petit garçon soufflent toutes les bougies d'un seul coup.

Lin Choo ne tient plus en place :
il tend son grand paquet à Grand-père Tsing.
Grand-père Tsing est aussi impatient :
fièrement, il tend son paquet à Lin Choo.

Deux magnifiques oiseaux magiques s'échappent des papiers cadeau et s'envolent haut, très haut dans le ciel... au bout de leur fil bien tendu.

Lin Choo et Grand-père Tsing se regardent avec des yeux qui brillent. Et tous ceux qui sont là comprennent soudain que les rêves des enfants et les rêves des grands-pères sont les mêmes. Ils vont jusqu'à toucher le ciel !

« Tu vois, dit Grand-père Tsing, nous avons le même âge, toi et moi. 6 ans et 60 ans, c'est la même chose, quand on a un cœur grand comme l'immensité d'un ciel d'été !

Le zéro, ça ne sert à rien !

La petite souris des souris

«**M**aman, maman, crie la petite souris en rentrant de l'école. J'ai une dent qui bouge. Regarde, une dent de devant ! »

« Mais c'est vrai, dit Maman en regardant la dent de sa Souricette. En avant, en arrière, ta petite dent fait de la balançoire ! Tu sais, c'est normal, tu vas avoir 6 ans, tu commences à perdre tes dents de lait.

Ma petite Souricette devient une grande souris ! »

ajoute Maman en serrant sa petite souris dans ses bras. « Mais elle va tomber quand ma dent ? » « Bientôt, quand tu mangeras ou quand tu te brosseras les dents, ta petite quenotte tombera toute seule, tu ne sentiras rien, tu n'auras pas mal du tout. Il faudra même que tu fasses bien attention à ne pas l'avaler ! »

45

« Si tu veux que ça aille plus vite, tu peux croquer dans un caramel tout mou, et ta dent restera coincée dedans », propose Papa Souris.

« Moi, j'ai une autre solution encore plus efficace, ajoute petit frère Souriceau. J'attache ta dent avec une ficelle, tu restes bien assise sur ta chaise, j'attache l'autre bout de la ficelle à la poignée de la porte de la cuisine, et je claque la porte.

Bing, plus de dent ! »

« **N**ooon, hurle la petite souris. Je ne veux pas que tu m'arraches ma dent avec la porte. Je préfère attendre qu'elle tombe toute seule. »

Et la petite souris n'a pas à attendre longtemps. Le lendemain soir, en croquant un morceau de gruyère, elle trouve sa dent enfoncée dedans !

« Ça y est, crie la petite souris en zozotant. Z'ai perdu ma dent. Qu'est-ce que ze fais maintenant ? »

Maman Souris est bien ennuyée, elle ne sait pas quoi répondre à sa petite souris.

« Il est tard, va donc te coucher, ma Souricette, nous verrons demain. »

Dès que la petite souris s'est endormie,
Maman Souris convoque le grand conseil des souris :
« Chères souris, nous avons un petit souci.
Ma petite Souricette vient de perdre sa première dent de lait.
Je ne peux pas lui dire de la laisser sous l'oreiller
pour que la petite souris vienne la chercher
et lui apporte en échange un cadeau,
puisque les petites souris, c'est nous !
Nous ne pouvons quand même pas être
les petites souris de nos petites souris ! »
« Très juste, très juste », marmonne le doyen
des souris, le plus vieux et le plus sage de tous.

« **M**ais que pouvons-nous faire pour que nos petites souris aient quand même leur cadeau ? » reprend Maman Souris.

Un silence gêné parcourt l'assistance des souris.
Toutes les souris se creusent la tête, mais aucune ne trouve
de solution. Enfin, le doyen des souris prend la parole :
« Je pense qu'il faut que nous trouvions un petit animal
qui accepte de devenir la petite souris du peuple des souris.
Nous allons prospecter dans la campagne
dès demain matin. J'emmène souris
Holmes et souris Watson
avec moi. »

Le lendemain, à l'aube, la petite troupe se met en marche.
Ils croisent tout d'abord un escargot qui traîne sa maison
sur le bord de la route.

« **Bonjour, monsieur l'escargot.** Nous sommes à la recherche
d'un petit animal qui voudrait bien être la petite souris de notre
peuple des souris. Seriez-vous prêt à faire cela pour nous ? »

« Votre proposition est très intéressante, messieurs, et j'accepterais
volontiers si je n'étais pas si lent. Rendez-vous compte :
le temps que je parvienne à l'oreiller des souriceaux endormis,
la nuit sera finie, les souriceaux se réveilleront et me prendront
en flagrant délit ! »

« Ce serait très ennuyeux, en effet. Merci quand même,
monsieur l'escargot, et bonne route. »

Un bourdon passe au-dessus des trois souris.
« Holà, monsieur le bourdon, arrêtez-vous, s'il vous plaît. Nous sommes à la recherche de quelqu'un qui deviendrait notre petite souris, qui irait chercher les dents sous les oreillers de nos souriceaux et les échangerait contre des cadeaux. Accepteriez-vous ? »

« Votre proposition m'honore, messieurs, mais vu le bruit que je fais en volant, je vais, à coup sûr, réveiller vos souriceaux endormis. »

« Très juste. Merci quand même, monsieur le bourdon. »

«Mais attendez, voici mon ami monsieur le moustique qui passe. Il est bien plus discret que moi.

Hé ! monsieur le moustique, cela vous dirait de faire la petite souris pour ces messieurs ? »

« Oh, moi je veux bien, mais je vous préviens, je ne pourrai pas m'empêcher de piquer vos souriceaux endormis lorsque je viendrai leur apporter leur cadeau. Ils me feront trop envie. »

« Dans ces conditions, monsieur le moustique, nous préférons retirer notre offre. Nous ne voulons pas que nos souriceaux soient couverts de boutons. Mais merci de votre franchise ! »

Les trois petites souris commencent à désespérer de trouver la bonne personne : trop lent, trop bruyant, trop piquant, à qui s'adresser maintenant ?

Un léger bruit vient perturber leur réflexion. Une coccinelle volette autour d'eux : « Je vous ai entendus, je veux bien, moi, être votre petite souris : je vole discrètement, je vais vite et, en plus, comme je suis une bête à bon Dieu, j'adore faire des cadeaux ! »

« Adjugé ! s'écrient les souris, ravies d'avoir trouvé la candidate idéale. Vous pouvez commencer tout de suite ? »

« Bien sûr, je suis prête. »

Et le soir même, la coccinelle effectue sa première mission de petite souris auprès de Souricette. Elle vérifie que la petite est bien endormie et, discrètement, elle vole jusqu'au petit lit, soulève un coin de l'oreiller et remplace la petite dent par un cadeau !

Le lendemain, Souricette, en se réveillant,
sent quelque chose sous sa tête.
« Z'ai un cadeau, z'ai un cadeau », crie-t-elle.
Ses parents accourent, réveillés par ses cris.
« Hé bien, tu vois, la petite coccinelle est passée !
Elle t'a pris ta dent et t'a donné un cadeau à la place ! »
« Mais z'est quoi ze cadeau ? » demande Souricette.
« Chez les humains, c'est un dé à coudre mais, pour nous
les souris, c'est une immense râpe à fromage. »
« Elle est douée, zette petite coccinelle, elle zait exactement
ze que z'aime. Merci, petite coccinelle, crie Souricette.
Ze vais pouvoir me régaler
avec du gruyère râpé ! »

Et depuis ce jour,
la coccinelle est la
petite souris officielle
du peuple des souris !

Le chat de Léa

Léa a tout de suite compris que ce ne serait pas un anniversaire comme les autres. Le super goûter d'anniversaire est installé sur la table du salon, avec tout ce qu'elle aime, le gâteau au chocolat de Mamie, le clafoutis de Maman, les sucettes et les chamallows du grand frère Romain, le Coca et le jus d'ananas, et voilà Papa qui entre avec un drôle de gros paquet, tout rond, tout mal ficelé, tout cabossé : « Bon anniversaire, ma petite fille ! » Mamie, Romain, Papa et Maman encouragent Léa, intimidée, qui regarde le paquet sans bouger. « Bizarre, ce paquet, on dirait qu'il respire ! »

Léa se décide à déchirer un peu le papier avec précaution,
sans trop oser, puis un peu plus, encore, et soudain,
elle aperçoit... oh !... une toute petite boule de poils enroulée
bien tranquillement au fond d'une corbeille. « Chut ! elle dort,
il ne faut pas la déranger », préviennent les parents.
« Chut ! » commence Léa en mettant le doigt sur sa bouche,
mais c'est plus fort qu'elle : elle se met à danser, à sauter
de joie en battant des mains... et la petite chatte jaillit
du panier et détale sans crier gare.

« **M**inou, minou... » Toute la famille part à sa recherche, dans toute la maison. « La minette... », on ne sait même pas comment l'appeler, parce qu'on n'a pas eu le temps de lui donner un nom. C'est Mamie qui finit par la trouver, cachée sous le canapé. Elle essaie de l'attraper tout doucement et de la faire sortir sans lui faire peur, mais la petite bête se cramponne de toutes ses griffes au tissu.

« Minou, minou... »

Et quand elle finit par lâcher prise, elle fait de gros traits rouges sur les mains de Mamie et s'enfuit sous le buffet du salon, tout au fond. Même Papa, avec ses grands bras, ne peut pas l'attraper. Depuis, elle reste là sans bouger. Quand on se met à plat ventre le long du buffet, on peut juste voir ses deux petits yeux qui brillent dans le noir, et si on reste un peu,

on devine une petite boule toute hérissée.

Mamie a posé une tasse de lait juste à côté du buffet
et Léa attend sans faire de bruit. Mais la chatte ne bouge pas
de sa cachette. Et Léa doit aller se coucher toute seule,
sans son cadeau.

« Ce n'est pas grave, explique Maman
pour la consoler, il faut juste un peu de temps.
Tu vas lui apporter à boire et à manger près du buffet
et tu lui parleras doucement, sans taper des mains
ni des pieds, sans faire de gestes brusques. Tu verras,
elle va vite comprendre que tu es son amie. »

Dès le lendemain, en rentrant de l'école, Léa attrape
son goûter et une assiette de lait qu'elle pose devant
le buffet. Elle s'assoit par terre et parle à la petite chatte
de l'école, de sa copine Mathilde, des jeux qu'elles
pourront faire toutes les trois. Elle lui décrit le jardin,
avec le cerisier et la balançoire et aussi la petite corbeille
avec un coussin tout doux qu'elle a préparé pour elle.

La chatte cligne des yeux, on voit disparaître quelques
instants les deux petites lumières sous le buffet,
mais dès que Léa tend la main sous le meuble,
elle sort ses petites griffes, elle crache et souffle
et elle se blottit bien au fond pour qu'on ne puisse
même pas la toucher.

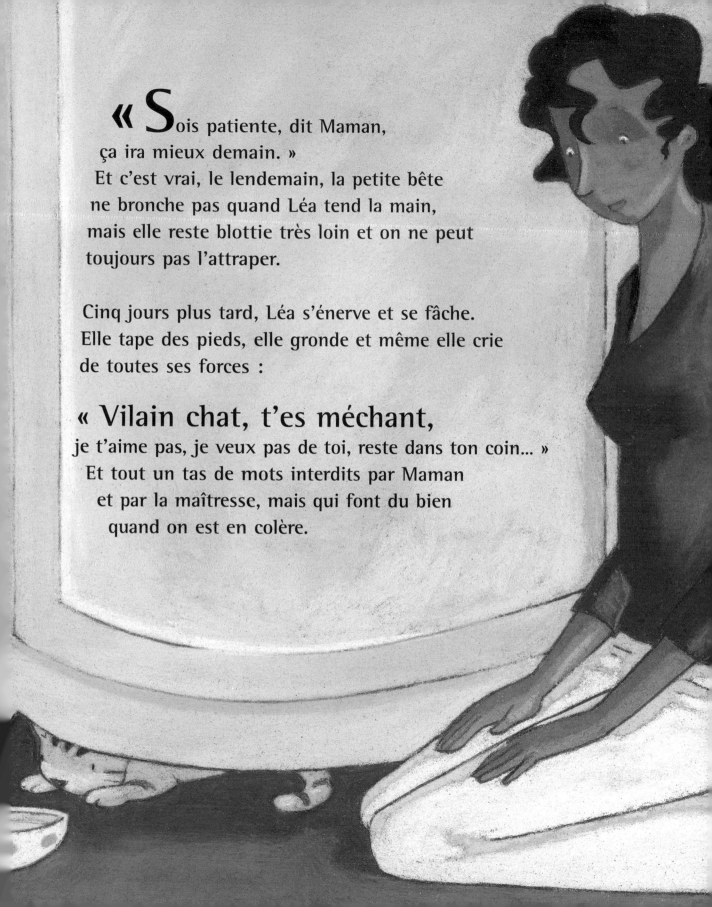

« **S**ois patiente, dit Maman,
ça ira mieux demain. »
Et c'est vrai, le lendemain, la petite bête
ne bronche pas quand Léa tend la main,
mais elle reste blottie très loin et on ne peut
toujours pas l'attraper.

Cinq jours plus tard, Léa s'énerve et se fâche.
Elle tape des pieds, elle gronde et même elle crie
de toutes ses forces :

« Vilain chat, t'es méchant,

je t'aime pas, je veux pas de toi, reste dans ton coin... »
Et tout un tas de mots interdits par Maman
et par la maîtresse, mais qui font du bien
quand on est en colère.

Puis elle s'enfuit au fond du jardin pour cacher son chagrin. Le problème, c'est que demain, c'est mercredi, et Léa a invité toutes ses copines pour leur montrer son cadeau d'anniversaire. Alors, ce soir, Léa n'a pas faim. À table, elle a l'air de rêver, et Maman s'inquiète.

« Ce n'est pas grave, dit Papa, ça va s'arranger. »

Dans son lit, Léa ne peut pas dormir. Quand tout le monde est couché, elle descend sans faire de bruit dans le salon avec son oreiller. Elle s'allonge par terre le long du buffet et tend doucement son bras vers la petite chatte qui la regarde sans rien dire. Et elle commence à lui parler tout doucement, sans bouger, presque sans respirer.

Longtemps elle parle, Léa, elle raconte toutes les histoires qu'elle connaît, celles de Mamie et celles de Maman, jusqu'à ce que ses yeux commencent à se fermer. La petite bête ne bouge toujours pas, alors Léa continue, résiste encore... encore, elle a les yeux qui piquent...

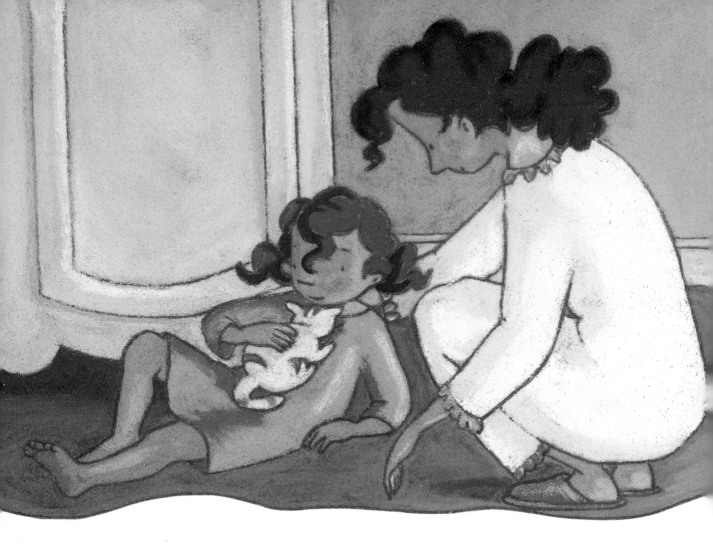

Soudain, Léa entend la voix de Maman qui l'appelle tout bas. Elle ouvre les yeux, il fait grand jour. Elle se sent tout engourdie, toute fatiguée, avec un drôle de poids sur l'estomac. Elle tend la main et elle sent... une petite boule toute douce couchée sur son ventre et qui se met à ronronner. « On va l'appeler Sixtine, dit doucement Maman,

puisqu'elle a mis six jours
à venir fêter tes 6 ans. »